Seachrán Jeaic Sheáin Johnny

Seachrán Jeaic Sheáin Johnny

Micheál Ó Conghaile

Cló Iar-Chonnachta
Indreabhán
Conamara

An Chéad Chló 2002
© Cló Iar-Chonnachta 2002

Clúdach agus léaráidí © Pádraic Reaney

ISBN 1 902420 63 2

Léaráidí: Pádraic Reaney
Dearadh clúdaigh: Johan Hofsteenge
Dearadh: Foireann CIC

Bord na
Leabhar
Gaeilge

Tugann Bord na Leabhar Gaeilge tacaíocht airgid
do Chló Iar-Chonnachta

Faigheann Cló Iar-Chonnachta cabhair airgid ó

the arts council an chomhairle ealaíon
50ᵇ

Clóchur: Cló Iar-Chonnachta, Indreabhán, Conamara
Fón: 091-593307 **Facs:** 091-593362 **r-phost:** cic@iol.ie
Priontáil: Clódóirí Lurgan, Indreabhán, Conamara
Fón: 091-593251/593157

Clár

Leabhair leis an údar céanna, foilsithe ag Cló Iar-Chonnachta:

Croch Suas É! Eag. (Amhráin) 1986
Gaeltacht Ráth Cairn: Léachtaí Comórtha (Stair) 1986
Mac an tSagairt (Gearrscéalta) 1986
Comhrá Caillí (Filíocht) 1987
Conamara agus Árainn (Stair) 1988
Up Seanamhach! Eag. (Amhráin) 1990
Gnéithe d'Amhráin Chonamara Ár Linne (Léacht) 1993
Sláinte: Deich mBliana de Chló Iar-Chonnachta Eag. (Éagsúil) 1995
An Fear a Phléasc (Gearrscéalta) 1997
Sna Fir (Úrscéal) 1999

Aistriúcháin:
Banríon Álainn an Líonáin (Dráma le Martin McDonagh) 1999
Ualach an Uaignis (Dráma le Martin McDonagh) 2002
Sách Sean (Gearrscéalta do dhéagóirí) 2002

i ndilchuimhne ar
Omar Vera Vargas
1966-2000

Mír I

Bhíodh sé á faire go laethúil agus í ag teacht ón scoil. Í ag pocléimnigh léi go gealgháireach i gcomhluadar na bpáistí glóracha eile istigh i gciorcal a saoil féin. Í beo bríomhar i gcónaí, b'fhacthas dó. Agus anamúil. Ní bhfuair sé amach ariamh cén t-ainm a bhí uirthi chomh fada lena chuimhne nó b'fhéidir gurb amhlaidh a dhearmad sé é d'aon ghnó. Dá gcasfaí dó ar an mbóthar léi féin í ní raibh sé cinnte cén t-ainm as a mbeannódh sé di.

Ach má bhíodh áthas air í a aimsiú lena shúile cinn sa mbuíon daltaí scoile, bhí an oiread eile áthais air gan blas dá hainm a bheith ar eolas aige, chreid sé, óir b'amhlaidh a theorannódh ainm baiste ise agus a shamhlaíocht féin dá réir. Ina áit mhéadaigh agus threisigh sin dó an draíocht agus an mhistéir a bhain léi. Amhail is dá mbeadh geasa deasa ar a chluasa diúltú dá hainm saolta. Amhail is dá mbeadh rud éicint nua fúthu le foghlaim i gcónaí aige. Amhail is dá mbeadh leithscéal dlisteanach aige a bheith ag

síormhachnamh uirthi.   Is thabharfadh an
méid sin saoirse shoilseach di le filleadh air a
thaitníodh leis agus sólás dó féin.   Má bhí
marc bradach nó séala strainséartha uirthi, ní
thabharfadh seisean sin faoi deara.   Agus cé
go méadaíodh a fhiosracht ina leith ar
bhealach amháin, b'fhiosracht aibí a bhí ann
faoi seo agus bhraith sé cibé ainm a bhí uirthi,
nárbh in é an t-ainm a thabharfadh seisean
uirthi cé go bhféadfadh an t-ainm ab áille is ab
fhírinní ar domhan a bheith tugtha uirthi i
ngan fhios dó. Bhíodh sé ag smaoineamh de
shíor ina bhrionglóidí seachránacha agus i
bhfinnscéalaíocht a intinne go mbeadh ainm
croíúil le fuaim fhileata ar nós Niamh Chinn
Óir go deas cóiriúil mar ainm di mar gheall ar
a folt óir gruaige, a bhíodh an ghaoth a
scuabadh go grámhar siar ó chúl a cinn le linn
di a bheith ag sodar abhaile ón scoil . . .

   In imeacht na mblianta fadálacha rinne sé
nós rialta de bheith ag siobáil leis amuigh i
ngarraí an bhóthair ag am dúnta na scoile.
Bhíodh sé ag cur cruógaí beaga air féin, ag
freastal ar lao nó ag réiteach ar ghamhain, ag
coinneáil súile ar an mbó nó díreach ag biorú
an chlaí, mar dhea, ag socrú cloch chorrach

anseo is dhá chloch ansiúd ar a bharr. É go minic ag feiceáil scailpe nó manta san áit nach raibh a leithéid.

Ach ní nach ionadh, ba bheag aird a thugadh na daltaí scoile – an scór acu a bhí fágtha – ar Jeaic Sheáin Johnny ná ar a sheachrán má b'eol dóibh faoina leithéid. Seanfhear a bhí ann. Seanfhear eile a bhí ann chomh fada agus a chonaic siadsan é. Duine eile de sheanfhondúirí líonmhara an bhaile a bhí ina chónaí leis féin, cé go gcloisidís a ghuth binn bog go minic ar an raidió, óir b'amhránaí aitheanta sean-nóis a bhí ann cé nár spéis leosan na seanamhráin fhada fhadálacha a chasadh sé. Go deimhin, ba mhinice ná a mhalairt a mhúchaidís an raidió dá gcloisfeadh siad é nó dheifreodh ar thóir popamhráin ar stáisiún éicint eile. Deiridís heileo amháin leis dá bhfeicfidís é ar an mbóthar nó dá mbeannódh sé dóibh go géimiúil nó go grástúil thar chlaí biorrach a gharraí. Ghliondálaidís leo abhaile go sodrach ansin.

Is bhíodh áthas éadrom airsean aon uair a dtagadh éinne acu aníos an bóithrín cam casta ar cuairt chuig an teach aige. Bhíodh brí bhreise ina choischéim ag dul chuig an doras

13

nuair a chloiseadh sé guthanna gasúr. D'fháiltíodh isteach thar an tairseach iad. An comhluadar, b'fhéidir, is aicearra ama á spreagadh. Spleodar na hóige. Ach ní ar cuairt a thagaidís go díreach ach is amhlaidh a bhídís ag díol ticéad le haghaidh chrannchur na scoile nó ag cruinniú airgid do chúis, do cheist, nó do chiste éicint. Don ghorta ba dhéanaí san Afraic nó do pháistí bochta an tríú domhan. Do chearta daonna i dtír éicint thar lear nó do dhíthreabhaigh an chogaidh ba dhéanaí. Ach bhíodh sé fáilteach flaithiúil leo i gcónaí. Fial flaithiúil. Is b'in an cháil a bhíodh air ina measc.

Ach níor tháinig sise chuige ariamh. A Niamh Chinn Óir. Ainneoin gur mhinic é ag faire amach di dá dheoin is dá ainneoin. Ach ugach chun a dhorais ní fhéadfadh a thnúthán ba ghéire a thabhairt di. Is ní raibh sé baileach cinnte céard a déarfadh sé léi dá dtiocfadh sí, ach é go síoraí ag cur comhairleachaí air féin trína chriathar aigne. Ach bheadh sé flaithiúil léi ar aon nós. B'in cinnte. Is ligfeadh sé don nóiméad speisialta úd soiléiriú a thabhairt air féin, dá dtiocfadh . . .

14

Ach dúirt sé leis féin go minic gur dóigh go raibh na seacht bhfainic curtha uirthi nó go raibh fógra beo tugtha di gan a theach a thaobhachtáil ar a bhfaca sí ariamh. Ach ní raibh sé cinnte dearfa de sin. Cén chaoi sa mí-ádh a bhféadfaidís fainic dá leithéid a chur uirthi gan an cat fiáin a ligean as an mála, a smaoinigh sé lá os ard. Nár mhar a chéile seandaoine do ghasúir bheaga. Seanfhondúirí uile an bhaile. Dá dtabharfaí fógra fainice di nach amhlaidh a threiseodh sin a fiosracht. Bhí gasúir mar sin. Bhí . . . Nach amhlaidh a thiocfadh sí le duine dá comhscoláirí nó aisti féin ar chúla téarmaí. Níor ghéill cailíní óga d'orduithe ar na saolta seo, thuig sé. Gheofaí bealach.

Ach ní bhfuarthas, ach é fágtha ina Oisín aonair ansin. Gan aige ach a bheith go seasta ag faire amach di, le súil a leagan uirthi trí sheans agus í a fheiceáil uaidh. An cailín scoile . . . Í ag fás suas ina gearrchaile óg . . . Déagóir crua láidir . . . Ógbhean . . . Thuig sé ansin gur dóigh nach gcuirfeadh sé aithne cheart chuí uirthi choíche is ghlac sé go cruálach leis sin ina chroí istigh in imeacht ama. Ach ba mhaith leis amharc a fháil uirthi chomh minic agus a

15

d'fhéadfadh sé, fiú dá mba i measc a comhscoláirí nó a comhdhéagóirí é. Í a fheiceáil ina sheachrán aigne agus ina chuimhní cleasacha cinn. Amhail is dá maolódh sin ga géar na mblianta easpacha. Ba thógáil croí dó é nuair a bhraithfeadh sé é féin gar di. Í a fheiceáil aríst sna tráthnóntaí úd ag deifriú abhaile ón scoil . . . Bheadh sí imithe uile ar ball, bhí a fhios aige. Go luath. Lá ar bith feasta, b'fhéidir. Chuirfí chuig meánscoil sa gcathair í. Ansin chuig an ollscoil nó gheobhadh sí post éicint i mBleá Cliath nó d'éalódh ar imirce fearacht a máthar fadó . . . drochdheireadh . . . Is ní móide go bhfeicfí i Ros Cuain Sáile choíche í. Amharc óna gharraí gabhainn féin fiú ní bheadh aige ansin uirthi. Ach é fágtha i dtuilleamaí leathchuimhní bacacha is brionglóidí sceanta maolaithe. Nach in a rinne na daoine óga ar fad, a smaoinigh sé. Ros Cuain Sáile a thréigean. Obair fhónta a fháil i gcathair éicint nó thar lear. Nárbh in a rinne siad lena linn féin agus ariamh anall roimhe sin, ní áirím anois.

B'fhéidir gur mar gheall air sin a threisigh sé ar a chuid brionglóidí. É mar a bheadh ag iarraidh í a athionchollú dó féin. Ó bhrionglóidí briste lae ar dtús a mbíodh sé féin ag cur struchtúr óir agus airgid orthu agus á n-atógáil. É á gcruthú, á gcumadh agus á múnlú chun a shástachta. Bhíodh chuile ní i gceart ina intinn féin ar an gcaoi sin – mar a bheadh teach nó áras duine uasail ann le scata searbhóntaí dílse – chuile rud socraithe go néata aige ina chúinne cóngarach féin, ina nádúr féin. Agus ansin i mbaclainn a bhrionglóidí lae thosaíodh sé ag brionglóidigh dáiríre, na brionglóidí ab fhearr a thaitníodh leis ag fáil an ceann ab fhearr air nuair a thagadh ina dtonnta móra. Iad ag ardú a gcinn uathu féin thar dhroim a chéile. Is ansin iad á shlogadh leo ina n-ollbhrionglóid. Agus san uair ab áille a bhídís ba ina cailín beag a bhíodh sí, í trí bliana bríomhara d'aois, folt mór gruaige uirthi. Sna brionglóidí ciúine thagadh sí chuig an doras chuige léi féin. Ní bhuaileadh sí cnag ná leathchnag air fiú ach d'úsáideadh sí iomlán a spreactha lena bhrú isteach roimpi . . . amhail is dá mbeadh sí ag filleadh abhaile. D'fhágadh sí an doras ar leathadh ina diaidh don saol mór ansin. D'ardaíodh seisean a chloigeann le gíoscán an dorais lena chinntiú dó féin nach gadhar ná gála ná síog a bhrúigh isteach é. Lasadh a dhá shúil go lonrach nuair a d'fheiceadh chuige í agus mhionnaíodh sé dó féin nach ag brionglóidigh a bhí sé an babhta seo agus í ag coiscéimniú go luafar éadrom thar thairseach a chroí. Tá mé anseo, a screadadh sí go háthasach. Tháinig mé ar cuairt chugatsa féin anocht i ngan fhios dóibh. Ná habair tada. Tá siad bailithe a chodladh anois *so* ní aireoidh siad imithe mé go maidin. An féidir liom fanacht anseo leatsa anocht?

Níor labhair sí leis as a ainm ná ní labhraíodh ariamh ag an aois sin cé gur thuig seisean go gcaithfeadh sé a bheith ar eolas go maith aici. Ar dtús ní deireadh sé tada chun deis a thabhairt dó féin an ócáid a bhlaiseadh ina hiomláine. Ansin scaradh sé amach a dhá lámh mhóra go hoscailte mar chomhartha fáilte agus léimeadh sise chuige nó go bpiocfadh sé suas ina ghabháil í. D'fháisceadh sé isteach ina bhaclainn í agus greim an fhir bháite aige uirthi. Phógadh siad a chéile ar na leicne cúpla babhta agus ansin d'fháisceadh sé chuige lena ucht aríst agus aríst eile go ceanúil í. Mo rósbhéilín meala

18

beag féin, a chanadh sé de ghuth binn. Bhíodh aoibh i gcónaí uirthi agus uaireanta chuireadh sé dinglis bheag chineálta inti le gáire a bhaint aisti. Nach bhfuil a fhios agatsa, a stóirín, go bhfuil fáilte chaoin Uí Cheallaigh romhat teacht am ar bith de ló nó d'oíche nó den chlapsholas is maith leat, a bhéimnigh sé. Is mé fágtha anseo liom féin ar an ngannchuid ag cuimhneamh ort. Is gan agam ach mo phota stóir de bhrionglóidí.

Ná bíodh imní mhór an tsaoil ort, a d'áitíodh sí ag breith barróige air. Ní bheidh a fhios ag duine ar bith beo ach ag an mbeirt againn agus ansin phógfadh seisean aríst í nó go gcuirfeadh ina suí ar a ghlúin í agus bheadh á luascadh leis is ag mionchaint is ag baothchaint léi i mbriathra boga binne. Thugadh sé a stóirín, a chuisle agus a leanbh uirthi agus ainmneacha deasa feiliúnacha fileata eile a thaitin go seoigh léise. Uaireanta chuiridís ag gáire í agus cé nár thuig sí go hiomlán iad bhí a fhios aici gur ainmneacha deasa ceanúla a bhí iontu agus mheas sí dá nglaofaí sách minic uirthi iad gur dóigh go bhfásfadh sí féin suas ina cailín álainn lena chuid briathra ardmholtacha arda a shroichint. Is níor inis sí a hainm baiste féin ariamh dó mar gur ghlac sí leis go raibh sé ar eolas go maith aige ach gurbh fhearr leisean ainmneacha a rinne cur síos uirthi a aimsiú di ina cheann agus a lua léi. Ainmneacha a threiseodh a háilleacht féin agus a bheadh ag rince ina saol.

Agus is beag focal, abairt ná comhrá eile a bhíodh eatarthu ansin ach iad beirt ag saibhriú sraitheanna an chiúnais dá chéile, eisean i ngreim inti go teolaí agus ag mothú theas bog a colainne ina ucht nó go dtosódh sí ag méanfach le tuirse nuair a bhíodh ag sleamhnú amach i ndoimhneas marbh na hoíche. Thagadh cineál bróin ansin air mar go dtuigeadh sé nach raibh ar a cumas fanacht ina dúiseacht níos faide agus go raibh sé ag tarraingt ar an am aicise imeacht abhaile sul má chronófaí í. Thosaíodh a súile beaga gorma ag caochadh is a fabhraí ag titim ar a chéile agus cé gur thuig sé go maith gur gearr go dtitfeadh sí féin ina cnap codlata bhraith sé go mbeadh a codladh níos suaimhní síochánta dá gcanfadh sé suantraí álainn séimh ina ghuth binn di agus leagadh sé air:

Seoithín seothó, seoithín seothó
Seoithín seothó is tú mo leanbh
Seoithín seothó . . .

Agus cé go mbíodh sí ina cnap sonasach codlata faoin am a sroicheadh sé an dara nó an tríú líne chasadh sé leis go dtí an ceathrú deiridh chomh binn agus a bhí ina ghuth maidine. Agus uaireanta chanadh sé faoi dhó é ar an tuiscint go meallfadh sé chuici na dea-dhéithe agus dea-spioraid na marbh agus na seacht sinsear a d'fhanadh ag foluain thart á gardáil ina suan. Is mheasadh sé scaití go gcloiseadh sé an suantraí ag fás suas is ag iompú isteach ina aingeal coimhdeachta a leanfadh ar aghaidh ag eitilt timpeall agus timpeall os a cionn i gcaitheamh na hoíche . . . Agus oícheanta mar sin a dtagadh sí chaitheadh sé uaireanta fada an chloig ag baint lán a dhá shúl aisti agus í ina suan agus é ag guí ina intinn go mbeadh gach rath agus séan uirthi sa gcosán de shaol fada aimhréidh a bhí leagtha amach roimpi. Agus scaití sa ngráfhéachaint úd thosaíodh sé ag stánadh uirthi i ngan fhios dó féin agus bhíodh sé ag

21

iarraidh a oibriú amach ina intinn go tostach cén chosúlacht a bhí aici lena muintir nó an raibh mórán cosúlachta aici leis féin . . . agus amanta d'éiríodh sé ina sheasamh nó go siúlfadh trasna an tí – é ag siúl ar bharraicíní na gcos go socair ionas nach ndúiseodh sí – go gcaitheadh amharc air féin aríst sa seanscáthán scoilte nár inis bréag ariamh dó mar go mbraitheadh sé go mbíodh dearmad déanta aige ar a aghaidh féin lena chur i gcosúlacht léi. Ach mar gheall go mbíodh leisce air an solas a lasadh faitíos go speirfeadh an lóchrann geal a súile óga leochaileacha codlatacha ní bhíodh ar a chumas é féin a fheiceáil go róshoiléir sa scáthán seachas scáile nó imlíne dhorcha a éadain ag brath ar iasacht sholas na gealaí is na réaltaí amuigh. Ach ansin thosaíodh aon sonraí dá aghaidh a bhíodh le feiceáil ag leá isteach ina roicne agus de bhrí go mbíodh a chloigeann idir an bhreacsholas agus an scáthán ní raibh aon bhealach ann ina bhféadfadh sé a shúile gorma féin a fheiceáil agus ansin d'fhilleadh a aird aríst ar an dóitín a bhí ina bhaclainn agus thugadh sé tamall ag siúl timpeall an tí amhail is dá mbeadh faitíos air go ndúiseodh sí dá ndéanfadh sé staic ná cónaí agus ní bhíodh leisce ná anró air uaireanta fada an chloig a chaitheamh léi ar an gcaoi sin . . . nó go meabhraíodh an coileach ceannasach lena chéad ghlao goilliúnach de chac a dúidil dú dó go raibh mochsholas na maidine á shoilsiú féin agus go raibh sé in am aici dul abhaile. Agus ní raibh aon bhealach ann go bhféadfadh sé í a scaoileadh amach léi féin mar sin in uaireanta fuara drúchta na maidine. Chasadh sé pluidín bhán le himeall bróidnithe timpeall uirthi agus chaitheadh fé fia de chóta mór trom aniar thar a bhráid féin a choinneodh an fuacht gorm agus an tsíon uathu araon agus ghreadadh leis de shiúl na gcos ag tabhairt chóngar an chnoic air féin faoi dhéin theach a seanmháthar, is comhrá luafar gaoithe taobh thiar dá dhroim ionas gur ar éigean a bhíodh a chosa ag cuimilt na talún lena luas éadrom eitleach éanúil nach gcroithfeadh fiú na deora fliucha drúchta den fhéar glas. Stop ná staon, stad ná scor ní dhéanadh sé ar mhachaire, gleann ná cnocán, ar phortach ná ar eanach, i gcoill ná i log ach ag éascú an bhealaigh roimhe agus é ag rá leis féin go leagfadh sé ar ais ina leaba bheag theolaí féin í le cabhair is le cumhacht na

23

n-aingeal i ngan fhios dá muintir nó cibé cé a bhí ina gcónaí sa teach úd anois . . .

Ach go tobann ansin, agus é i bhfoisceacht go mbeannaí Dia de gheataí grátacha an tí thosaíodh an gadhar mór olc dubh ag tafann agus ag sclafairt is ag geonaíl go gearranálach crosta nuair a bhraitheadh strainséir san aer in uair mharbh bheannaithe na hoíche is na maidine – Bhuf Bhuf Bhuf Bhuf – is bhuaileadh cnap áthais agus snaidhm bhróin Jeaic Sheáin Johnny d'aon rap amháin – áthas go raibh an gadhar mór dubh craosach úd i bhfad uaidh mar gur i gcluasa a bhrionglóidí amháin a rinneadh an tafann ceannasach oilbhéasach úd. Ach freisin d'fháisceadh snaidhmeanna deoracha bróin timpeall a mhuiníl, á thachtadh is dá phlúchadh beagnach, agus é sínte siar ina chathaoir luascach shúgáin nuair a shoiléiríodh a dhúiseacht dó nach raibh a pheata ina bhaclainn aige beag ná mór; nár tháinig sí chuig an doras chuige anocht ach oiread le ariamh, nár chuir cos ná leathchos isteach thar an tairseach; nár streachail suas ar a ghlúin is nár shuigh uirthi, nár thug barróg dá chéile, nár phóg a chéile, nár fhéach isteach i súile gorma gaolmhara grámhara a chéile – gur don seanchat bodhar leisciúil úd a bhí ina chnap crónánach codlata ar an iarta trasna uaidh a chas sé an tsuantraí bhinn óna chroí briste brúite . . .

Ach, agus é ina chónaí san iargúltacht leis féin, mhair sé ar son na nóiméad fuadaithe seo agus ar son na n-eachtraí beaga eile a chumadh sé faoina saol de réir mar a cheap sé iad a bheith ar tí titim amach agus í i gcéin uaidh, agus nithe beaga fánacha eile a chumadh sé faoi na rudaí nár tharla ina shaol féin. Bhí línte fuinniúla a shamhlaíochta mar a bheadh línte scuaibe i lámh phéintéara ann agus bhíodh sé de shíor ag tarraingt sceitseanna dúigh nó ag dathú pictiúr leo ag cruthú agus ag athchruthú aghaidh an chailín bhig, í ag fás suas ina girseach, ag éirí aníos ina gearrchaile agus ar tí a bheith ina hógbhean dhathúil nó gur scuabadh chun bealaigh chuig coláiste í, ba dhóigh, nó sin í a bheith gafa i bpost eachtrannach éicint a thabharfadh chuig an taobh eile den domhan í na mílte fada óna fuil, óna smúsach is óna dúchas. Ach bhí daoine óga mar sin. Thuig sé gurb é a nádúr siúd gan a bheith ag breathnú siar ach a bheith ag guairdeall rompu chun cinn i gcónaí, gan an baile a thaobhachtáil ach nuair a d'fheilfeadh dóibh féin, flosc siúil ina mbealach féin is i ngach áit eile orthu ag sásamh a bhfiosrachta.

Agus nuair nach mbíodh amharc ná tásc ar bith aige uirthi chuireadh sé a mhuinín i gcinniúint Dé agus i rotha mór casta tollta an tsaoil. Dá mbeadh sé i ndán dó, agus leagtha amach ag an gcinniúint dó, tharlódh go gcasfaí ina bhealach lá breá éicint aríst í. Tharlódh freisin nach gcasfaí. Bhí rudaí áirithe ann, mheas sé, arbh fhearr iad a fhágáil faoin seans is faoin dara seans. Nár mhór a fhágáil faoin seans. Agus bhí an seans, dar leis, mar a bheadh sruthán fiáin ann a d'fhéadfadh casadh soir siar am ar bith faoin spéir. Nó éalú leis ina uisce faoi thalamh ar fad as amharc. Agus ach oiread leis an sruthán a mbíonn fios cinnte a bhealaigh i gcónaí aige ainneoin a chuid castaí cama d'aimseodh an chinniúint cora a saoil féin. Nó b'in mar a chonaic Jeaic Sheáin Johnny é ar aon dath agus threabhadh sé leis ag sracadh le hobair an lae idir obair tí, gharraí, phortaigh agus trá nár athraigh

mórán le trí scór bliain ná leis na glúnta
roimhe sin. Obair a chleacht a athair, a
sheanathair, a shinseanathair chomh maith le
líon maith aithreacha eile roimhe sin nach
raibh tásc ná tuairisc anois orthu. Ag trí scór
go leith bliain d'aois bhraith sé nach raibh sé
ag súil le haon chor mór suntasach ina shaol
feasta agus cé gur oibrigh sé sách dícheallach
bhí an leisce úd a fhásann ar dhroim daoine a
bhíonn rófhada i bhfochair is i gcomhluadar a
nósanna leanúnacha féin i ngreim ann ionas
nár shantaigh mórán réadúlachta go minic
ach é ag tabhairt scóide agus gaoithe do
sheolta biocóideacha bacóideacha a
shamhlaíochta. Nuair nach mbíodh sé ag
amhránaíocht, ag seanchas ná ag roilleachas
leis féin ar an teallach sna hoícheanta fada
fuara bhíodh gliondar ar a bhrionglóidí dul ag
fálróid agus síneadh amach ina treo agus
d'iompraíodh chuige í go caithréimeach nó go
mbíodh sí ina gceartlár go rialta. Agus ar
bhealach aisteach, nuair a smaoiníodh sé i
gceart air, d'admhaíodh sé go mba mhana
cabhrach ó Dhia a bhí ann amanta gan ach
aithne seo na mbrionglóidí a bheith aige
uirthi mar cibé cén chaoi nó cén bhail a bhí

27

uirthi amuigh sa saol mór achrannach ina raibh sí, ní fhéadfadh sí lámh ná cos a chur mícheart i mbrionglóidí pleanáilte plánáilte a intinne. Shásaigh sin ar a chonlán féin ó sheal go seal é ionas go gcuireadh sé brí bhreise sna hamhráin mheidhreacha a bhíodh á gcrochadh suas aige. Is amanta d'fheiceadh sé an gadhar ar an urlár ag biorú a chluas, ag croitheadh a dhriobaill agus ag breathnú suas ar na nótaí arda a thagadh go foluaineach as a bhéal mar a bheadh ag tabhairt aitheantais do bhinneas a ghutha nó d'fhocla eitleacha a amhráin. Agus i lár a chrónáin stopadh an cat nó go gcuireadh lúb ina dhroim ag baint searradh sólásach sonasach as a chorp féin ar an teallach. Líodh a liopaí ansin le focail an amhráin a bhíodh mar bhraonacha milse bainne dó agus d'fhéachadh suas go mórtasach cineálta umhal ar a mháistir measúil saolta.

Mír II

Chuala sé fuaim éicint taobh amuigh den teach lá. Ansin buaileadh cúpla cnag géimiúil ar an doras go múinte fuinniúil, b'fhacthas dó. Bhraith sé láithreach gur cnag duine fásta a bhí ann. Théis a dhinnéir a bhí sé agus é sínte siar ag míogarnach ina chathaoir luascach shúgáin mar ba nós leis. Bhain na cnaganna geit as mar ba bheag duine fásta a thagadh ar cuairt chuige i lár an lae ghléigil agus an beagán sin féin ba nós leo an laiste a ardú iad féin agus siúl isteach rompu níos minice ná a mhalairt. Ach dhírigh sé aniar, sheas agus mhaolaigh glór an raidió. Chaith sracfhéachaint amach tríd an bhfuinneog ar a bhealach chuig an doras. Duine ná scáile ní fhaca sé. B'fhéidir gurb é an madra atá ann ag faire ar ghreim eile le n-ithe, a mheabhraigh sé dó féin ag ardú an laiste . . .

D'at amharc a shúl ansin. Chlis an chaint air. Phléasc coirc ina chluasa. Gheit a chroí nó gur rásáil a chuid fola gan srian trína chuisleacha.

Bail ó Dhia is ó Mhuire ort, a dúirt sí, ag labhairt i nGaeilge cheolmhar líofa leis. Líon sé a shúile ata léi féin is lena guth ionas gur tháinig lionn ar a amharc is gur chreid sé soicind gur ag brionglóidigh a bhí sé, ach gurb áille uaisle í sa mbrionglóid bheo seo le dea-shlacht is dóighiúlacht ná in aon cheann eile dá raibh ariamh aige – í ina ríon mná, seacht nó ocht mbliana déag d'aois, ach í fásta aibí ag breathnú, aghaidh gheal aingil uirthi seachas a gruanna dearga agus an folt órbhuí gruaige a bhí scaoilte síodach siar thar a guaillí leathana – síos go básta beagnach.

Nach n-aithníonn tú mé, a chan sí go cúthaileach, náireach beagnach, isteach ina chluas. Bhínn i mo chónaí sa gceantar seo tráth dá raibh ach is i Sasana is mó a chóirím mo leaba anois – Londain. Bhí nóta aiféala théis sní isteach ina glór ar lua Londan, rinne sé amach, nóta cúthaileach mar a bheadh sí théis a thuiscint go raibh preab bainte aici as, as teacht aniar aduaidh mar seo air i lár an lae is é i gcoim a chuid oibre nó a chuid smaointe.

Aithním go maith thú, a dúirt sé nuair a tháinig an chaint aríst dó, é ag smaoineamh i ngan fhios dó féin ar a seanmháthair. Chroith siad lámha lena chéile ansin ar leic an dorais agus mhothaigh sé boige óg a láimhe ar chraiceann garbh a láimhe féin, rud a chuir cineál náire air, chomh maith le é a bheith ina sheasamh ansin os a comhair gléasta ina chuid seanbhalcaisí. Bhí a chuid smaointe, bhraith sé, ina ngréasán tranglamach chomh mór sin ionas nach raibh rud ar bith soiléir.

Nach dtiocfaidh tú isteach, a dúirt sé ansin tar éis tamaillín is é ag síneadh na bhfocal ina treo mar chuireadh. Déanfaidh mé lá saoire duit. Déanfaidh, ar m'anam.

Tháinig meangadh mór ar a béal leis an gcuireadh a las a haghaidh uile amhail aghaidh aisteora a chuirfí faoi spotsolas ar stáitse. Agus sin uile a bhfaca seisean di ar feadh nóiméid. A haghaidh. A béal, a déad is ansin a gáire a spréigh amach ar a héadan iomlán. Shiúil sí isteach sa teach roimhe go glórmhar ansin mar a bheadh ríon ann a gcuirfí coróin uirthi agus shuigh ar an iarta clé amhail is dá mbeadh a fhios aici go maith gurb é a nós saoil féin suí ar an iarta deas aon uair nach mbíodh sé ina chathaoir shúgáin ag machnamh nó ag míogarnach. Shuigh sé trasna uaithi, a chroí ag preabadh fós, é ionann is dearfa faoi seo nach i mbrionglóid shaolta a bhí sé anois agus cé gur chuir an méid sin mír bhreise áthais air nach raibh sé in ann a thomhas fiú, bhí mar a bheadh orlaí den scanradh is den imní fuaite go daingean le snáthaid mhór tríd. Fios maith aige dá mbeadh sé beo i mbrionglóid go dtarraingeodh a intinn a chúrsa féin go nádúrtha nó de réir an chúrsa a leagfadh sé amach. Bheadh a fhios aige go díreach céard a déarfadh sé léi agus í ina leanbh, amhail línte as dráma a bheadh curtha de ghlanmheabhair aige. Ach bhí sí fásta suas anois. Í ina bean, agus gan é cinnte cá n-iompródh na brionglóidí seo iad, mar nach raibh aon bhrionglóid cruthaithe aige a bhí gearrtha amach ná tomhaiste go speisialta don nóiméad aibí seo.

Tháinig mé ar thóir amhrán uait, a dúirt sí, í ag iarraidh, mheas sé, comhnóta éicint a nascfadh iad beirt a aimsiú, a d'fhéadfaidís a roinnt eatarthu.

Ar thóir amhrán, a dúirt seisean aríst, mar cheist. Anall as cathair mhór Londan, á n-iarraidh, a smaoinigh sé ina intinn, is é idir dhá chomhairle ar cheart dó áthas nó brón a bheith air.

Go díreach é, a chan sí. Anall as Londain

ag foghlaim amhrán sean-nóis. Í ag foghlaim le bheith ina hamhránaí proifisiúnta thall. Í ag iarraidh cúpla amhrán Gaeilge le cur lena líon is lena stór – le gné éicint bhreise a thabhairt isteach ina stíl, ina hurlabhra, ina cantaireacht, ina hornáidíocht, a dúirt sí. Ó bhí an Ghaeilge go paiteanta aici cheana agus ó bhí a cháil féin mar amhránaí cloiste aici ó bhí sí ina páiste scoile, an mbeadh sé sásta a chuid amhrán a thabhairt di sa tréimhse a bheadh sí thart i gConamara, a d'fhiafraigh sí.

Chuir an chaint seo iontas agus áthas le chéile air ionas gur bhronn suaimhneas mór air amhail suaimhneas beo broinne. Cinnte, ba é a dhualgas cabhrú léi aon seans a thabharfaí dó agus í a chur chun cinn sa saol aon bhealach a d'fhéadfadh sé. A shaibhreas féin a roinnt léi. A bhronnadh uirthi. A fhágáil le hoidhreacht is le huacht aici is ag glúin eile. Bhraith sé mórtasach aisti ar bhealach éicint. Is d'fhiafraigh sé ansin di an gcasfadh sí amhrán amháin dó ionas go gcloisfeadh sé an chuid ab fhearr dá guth lena dhá chluas féin – murar mhiste léi. Níor mhiste. Agus sul má bhí an t-iarratas silte as a bhéal nár chuir sí brollach uirthi féin gur chroch sí suas 'A Stór Mo Chroí', í á chur faoi dhraíocht agus faoi gheasa aríst ag siollaí binne a cuid ceoil, a ghabh ceannas ceann ar a chluasa láithreach agus ansin ar a mheabhair go hiomlán nuair a neadaigh go domhain ina chloigeann. Stán sé ar a béal binn blasta is ar a liopaí dearga ag múnlú na bhfocal ceann ar cheann ina sruth, iad scaití á lúbadh is á gcasadh féin ina bhfíochán de réir mar a shearr siad iad féin amach as a béal. Thuig sé go rímhaith láithreach nár ghá dósan aon amhránaíocht a mhúineadh di, nach mbeadh sé in ann go deimhin tada seachas na focail a thabhairt di mar go raibh na foinn ag timpeallú ina maistreadh agus ag fiuchadh thar maoil istigh inti cheana féin, agus nach bhféadfadh seisean tada beo a dhéanamh ach eochair na bhfocal is na filíochta a chasadh agus ligean dóibh iad féin a shruthú amach aisti lena beannacht bhuíoch bhuacach.

Agus ní raibh an teach mar a chéile ón nóiméad a d'éalaigh sí léi abhaile uaidh deireanach an tráthnóna sin. Cé go raibh chuile bhall troscáin san áit chéanna a mbíodh leis na cianta mhothaigh sé go raibh chuile shórt difriúil – an solas a bhí níos gile, dathanna an troscáin a bhí níos gléine, níos soiléire, an teas a bhí níos boige, níos sláintiúla, boladh an aeir a bhí níos milse, níos úire . . . níos folláine . . . níos óige, níos meidhrí.

Shuigh sé síos ina lorg ar an iarta eile mar a raibh sise ina suí. Mhothaigh sé a teas sa gcúisín a bhí faoi, teas a chuir sruthanna beaga beochta ag éirí is ag eitilt suas trí smior a chnámh droma go cúl a chinn. Sruthanna dóchais a d'ardaigh a chloigeann go súgach céim ar chéim.

Chlaon sé a shúil ag féachaint timpeall na cistine aríst agus gan é cinnte céard a bhí ag spochadh as nó an suan nó mearbhall a bhí ag teacht air. Bhí binneas a gutha fós go tiubh san aer ag eitilt timpeall agus na focail a d'fhág sí ar crochadh ansin ag cuimilt a sciathán dá mhuineál, dá chluasa is dá leicne go ceanúil, ag foluain uathu féin ar fud an tí agus ag nascadh leis an mboladh cumhráin a spréigh a corp timpeall an tí ina diaidh agus iad araon – an guth is an boladh – ag iarraidh an barr a bhaint dá chéile le milseacht.

Is mheas sé tar éis tamaillín a chaitheamh ag stánadh uaidh go raibh troscán an tí ar fad théis casadh timpeall de bheagán – an bord, na cathaoireacha, an stól fada, na soithí ar an drisiúr. Iad níos soiléire, agus níos feiceálaí anois is loinnir nua iontu amhail is dá mbeifí díreach théis éadach tais nó fliuch a chuimilt díobh a ghreamódh leo aon dusta dorcha a bheadh ag neadú ina ngruanna. Is bhí cosa is ráillí adhmaid an bhoird is na stólta ag taispeáint a gcuid ornáidíochta féin go soiléir freisin, is an solas breise a bhí ag snámh isteach tríd an gcuirtín éadrom cróiseáilte á ngealadh go lonrach . . .

Ach go tobann ansin nuair a smaoinigh sé athuair air féin thosaigh amhras ag teacht air láithreach faoina raibh os a chomhair amach agus faoi chumas a chéadfaí féin. B'fhéidir gurb é an t-iarta seo nár shuigh sé ann leis na cianta ba chúis leis, a dúirt sé leis féin, óir bhí sé ag feiceáil gach ní ón leataobh eile. Mheas sé go raibh sé buille beag níos gaire don fhuinneog, go mb'fhéidir gurb in ba chionsiocair leis an gclaonadh breise tuisceana. An ghile bhreise a bhí sé in ann a fheiceáil ar fud chisteanach a thí féin. Dhún sé a shúile go teann ansin ar eagla go raibh céadfaí a choirp féin ag cliseadh air nó ag strealladh bréag dó nó ag iarraidh a bheith ag cur breille is seachráin sí air. Rinne sé a bhealach chomh fada leis an gcathaoir shúgáin, a mhéara ag braistint an aeir is an spáis fholaimh roimhe. Lig sé é féin faoi agus thosaigh á luascadh féin siar agus aniar go rithimeach agus ag déanamh a mhachnaimh. É ag rá leis féin go mb'fhéidir go bhfillfeadh brionglóid aitheanta éicint eile air ach paidir bheag a ofráil . . .

Nuair a dhúisigh sé go mall an mhaidin dár gcionn bhí sé ag luascadh fós ina chuid éadaigh. Mhothaigh sé na rópaí súgáin ag fágáil léasraigh scólta ar a mhásaí trína threabhsar. É théis an oíche a ligean thairis mar sin. Thuig sé nóiméad ina dhiaidh sin cá raibh sé. Bhraith sé ansin mar a bheadh an oíche goidte uaidh agus feall déanta air. Mar a bheadh a mhaidin fuadaithe uaidh freisin is í i seilbh gadaí nó neach éicint eile. Chuimil sé na sramaí as a shúile le hailt chrua a mhéar agus gháir solas lonrach an lae isteach tríd an bhfuinneog leis á chaochadh is á dhalladh ar feadh nóiméid. Mhothaigh sé aisteach mar go raibh a chuid éadaigh fós air agus mar nach bhféadfadh sé éirí amach as a leaba agus é féin a ghléasadh fearacht chuile mhaidin eile. Níor chuimhneach leis codladh go headra mar seo aon mhaidin cheana leis na cianta cairbreacha. Is rith sé leis gur mar gheall ar an spéirbhean a rug an codladh sa gcathaoir air agus shiúil sé timpeall an tí cúpla babhta féachaint an raibh gach rud ina áit féin nó an raibh sí théis marc nó lámh a leagan ar thada, ach chinn air athrú suntasach ar bith a bhrath, a fheiceáil, a chloisteáil ná a bhlaiseadh. Tháinig aiféala air nach raibh iarsma éicint sa teach a d'fhéadfadh sé a cheangal nó a lua léi is a tharraingt chuige . . .

Scanraigh sé ansin ar athsmaoineamh dó mar go mb'fhéidir nár tháinig sí chuig an teach inné beag ná mór, go mb'fhéidir gur baoisiúlacht nó buile a bhuail é nó gur i mbrionglóid a thuirling sí chuige le linn a chodlata in uair mharbh na hoíche nó ina aisling lae. Ransaigh sé trí véarsaí deireanacha na n-aislingí a bhí ar eolas aige go bhfeicfeadh sé cén bhail nó cén chríoch a bhain do na leannáin a roinn línte na n-aislingí lena chéile agus b'fhacthas dó gur beag só ná sásamh a bhí leagtha amach dóibh i ndeireadh báire. B'fhearr leis go mór nach in aisling a thiocfadh

sí chuige ach ina steillbheatha beo beathach ach
má tháinig sí ar chor ar bith, a dúirt sé leis féin,
cén fáth nach féidir liom cuimhneamh ar a
hainm fiú, má chuir sí í féin in aithne dom nó
ar a laghad ar bith nach sílfeá go bhféadfainn
cuimhneamh ar ainm éicint a bheadh cosúil nó
réasúnta cosúil leis más ainm aduain a bhí ann.
Ach ainm ná litir fiú ní raibh sé in ann a lua léi
ach amháin Niamh Chinn Óir mar a bhaistíodh
sé ina intinn féin uirthi i gcónaí roimhe seo.
Ach ainneoin sin is uile ní ligfeadh smior a
chnámh dó a chreistiúint nár tháinig sí chuige
agus thosaigh sé ag glaoch ainmneacha amhrán
os ard uirthi a bhuanódh í agus a léireodh, dar
leis, an ghrástúlacht álainn a bhain léi – 'An
Páistín Fionn', 'An Bhruinnillín Bhéasach', 'An
Mhaighdean Mhara', 'Eileanóir na Rún', 'Cailín
Deas Crúite na mBó' . . . Agus in áit dó dul
amach agus an bhó a bhleán is an lao a réiteach
chaith sé an tráthnóna iomlán sínte siar ar an
teallach ó chluas go drioball ag cur amhrán grá
go fraitheacha nó go raibh sé báite sa gceol is
gur tháinig éanlaith iomadúil an aeir is gur
sheas ar leic na fuinneoige go hómósach agus
cluas ghéar le héisteacht orthu agus iad ag súil
le cuid dá chuid nótaí binne ceoil a ardú leo ar

41

iasacht uaidh le canadh go binn buacach dá gcomhluadair iomadúla féin.

Mír III

Ach nach dtagadh sí ar cuairt chuige go mín rialta ina dhiaidh sin, laethanta agus oícheanta as cosa a chéile, scaití. Ceol, amhráin agus portaireacht bhéil a bhíodh uaithi. Chreid sé ar dtús gurb é binneas a ghutha féin agus a chuid amhránaíochta a bhíodh á múscailt is á mealladh. Í á santú di féin mar a shantódh páiste maide milis. Jeaic Sheáin Johnny Eoinín, a deireadh sí. A Jeaic Sheáin Johnny Eoinín, agus í ag labhairt leis as a ainm agus ainm a shinsear le chéile nuair a chuirfeadh sí ceist air faoi líne éicint as amhrán nach dtuigeadh sí nó dá mbeadh sí ag iarraidh air tosú ar amhrán nua di agus dul ar seachrán sa seanchas a bhain leis ina lár. Agus thaitin a guth, a tuin cainte agus a cuid bladair leis, go háirithe an chaoi a gcuireadh sí fonn beagnach lena ainm nuair a deireadh é. Jeaic Sheáin Johnny Eoinín is í ag baint clinge as an 'ín.' Agus ní úsáideadh sí a shloinne ariamh . . . Agus ní labhraíodh seisean léi as a hainm baiste féin ariamh mar gur dhiúltaigh scun scan dó mar a dhiúltódh an diabhal don uisce coisricthe. Chuir sé faoi bhrí na mionn í geábh gan a hainm baiste a inseacht dó choíche amhail is dá mbeadh smál doirte air nó go bhfágfadh gliogar glugarach ina chluasa. Tabharfaidh mé ainmneacha mo chuid amhrán ort, na hamhráin ghrá is áille dá bhfuil cumtha, a dúirt sé léi agus cé gur cheap sí i dtosach go raibh sé seo aisteach cheap sí go raibh sé iontach greannmhar freisin agus thugadh sí cead a chinn agus gach ugach dó nuair a bheannaíodh sé di mar 'A Neainsín Bhán', 'A Bhruinnillín Bhéasach' nó 'A Pháistín Fionn'. Bhraith sé gur mheas sí gurbh onóir álainn ollmhór di í a bheith á cur i gcomparáid leis na spéirmhná a bhíodh sna hamhráin seo a bhí na céadta bliain d'aois, a casadh do na mílte cluas aniar trí na glúnta agus a bhí á bhfoghlaim is á sealbhú aicise anois uaidh, ionas gur threisigh ar an gcairdeas is ar an dáimh dhiamhrach a bhí eatarthu.

Is bhíodh seisean é féin faoi dhraíocht aicise aon uair a chasadh sí amhrán, go háirithe nuair a chasadh sí ceann de na hamhráin a bhíodh díreach múinte aige di. Bhraith sé gur thug sí léi na hamhráin chomh héasca éadrom agus a thabharfadh piocaire póca punt as sparán agus b'ola ar a chroí dó na siollaí ornáidithe a chloisteáil á sní féin amach as a béal ina sruthanna agus ag líonadh suas aer an tí ina thimpeall mar a bheadh uisce úr séalaithe ó bhroinn na talún ag líonadh tobar fíoruisce. Scaití dhúnadh sé a shúile ag plúchadh a amhairc uirthi chun deis a thabhairt dá chluasa iomlán a gutha a bhlaiseadh, siolla réidh fileata ar shiolla nó go dtiocfadh íomhá dá seanmháthair isteach ina intinn . . .

Agus spreag sise tuilleadh é le páirceanna treafa a intinne a chartadh is a chíoradh ar thóir amhrán agus thosaigh sé ag tochailt faoi as éadan. É i gcónaí ag iarraidh amhráin nua a aimsiú di lena sásamh. Seanamhrán éicint a bhí sáinnithe i gclais éicint thiar i gcillíní doimhne dearmadta a intinne. Cuid acu nár dhúirt sé leis na cianta, iad beagnach éalaithe uaidh nó go dtugadh chun cuimhne anois iad ina strácaí – é á mealladh go barr uachtair a chinn, líne strae ar líne. Cuid acu nár thrasnaigh a ghuth, a ghlór ná a bheola ó laethanta dóchasacha a óige, ón am úd a mbíodh sé ag imeacht go fánach le haer an tsaoil – amhráin chúirtéireachta, amhráin mholtacha, amhráin ghrá, amhráin imirce, amhráin bháis is bháite, amhráin choinsiasacha . . . Agus de réir mar a bhí sé ag athfhilleadh ar sheanamhráin dá chuid is ar bhóithríní na smaointe bhraith sé go raibh sé á lánú féin agus ag déanamh athnuachana air féin, ar a chorp féin, ar a intinn féin, ar a chroí féin, ar a spiorad féin, ar a anam féin á shlánú is á iomlánú féin, amhail is dá mbeadh a óige á bronnadh ar ais air mar bhrabach i ndeireadh a shaoil nó b'in a bhraith sé i smior a chnámh is i bhfuil dhearg a chuisleacha. Shílfeá, a dúirt sé leis féin maidin amháin nuair a d'éirigh sé le breacadh an lae, gurb amhlaidh a chuir mé m'óige isteach i dtrunc taisce na blianta fada ó sin, gur cuireadh an eochair amú orm nó gur aimsigh Niamh Chinn Óir dom í agus go bhfuilim anois i dteideal m'óige féin a bhí tráth séanta orm agus an smais d'ús atá ginte aici a tharraingt amach i mo sheanaois le caitheamh is le maireachtáil aríst de réir mar is áil liom. Agus smaoinigh sé ansin go gcaithfeadh sé go raibh sé marbh leis na blianta fada, nó go ndearna sé dearmad go raibh sé fós beo sa saol amhail is dá dtiocfadh néal codlata céad bliain air nó gur chuir an Chúileann mar a thug sé an mhaidin úd uirthi séideoga saoil ann leis na hamhráin a bheoigh suas anois aríst é. Agus dá bharr bhisigh is bheoigh chuile mhíle ní ina thimpeall féin de réir mar a leag sé súil nó lámh air. Bhraith sé go mbíodh áthas ar an gcathaoir shúgáin nuair a shuíodh inti is go mbíodh níos compordaí, go mbíodh pluideanna a leapa i ngrá lena chneas nuair a shíneadh sé siar eatarthu chun suain is gur tháinig a dhá oiread teasa uathu oícheanta fuara. Bhí an gadhar is an cat níos suáilcí lena chéile ar an teallach agus a gcoirp le feiceáil sínte trasna ar a chéile go minic. Bhíodh ainneachaí áthais ag éirí go haerach aníos as broinn na tine aon uair a mbaineadh sé cartadh as na fóid leis an tlú. Bhíodh sé ag síoramhránaíocht leis dóibh ar fad agus é cinnte go raibh na cluasa bioraithe ag na ballaí ag éisteacht leis. Dá mba í an bhó bhainne í fiú, thálfadh sí muigíní breise bainne dó trí shruth a lámh agus é ag crónán amhráin éagsúla di chuile mhaidin agus é á bleán nó go mbíodh an buicéad mór ag cur thar maoil le bainne cúrach bán, faoin am a gcuirfeadh sé fíor na croise ar a ceathrú deas leis.

Mír IV

Dhúisigh sé de phreab in uair mharbh na hoíche amhail is dá mbuailfí rap fiáin ar dhoras a thí. Bhí fuarallas leis. Scanraíodh é ionas gur thóg tamall air smaoineamh cá raibh sé. Thuig sé ansin go raibh sé théis titim ina chodladh sa gcathaoir shúgáin aríst agus a chuid éadaigh fós air. Mheas sé ar dtús go raibh a chorp greamaithe sa gcathaoir leis an bhfuarallas agus nach scaoilfí choíche é. Bhraith sé ansin go raibh sé ag cur allas fola amach trí phóireanna uile a choirp is go raibh a chuid fola ag silt anuas as go righin ina braonacha móra nó go raibh lochán dúdhearg déanta aici faoina chosa is ar fud an urláir agus amach an doras ar an tsráid. Mhothaigh sé gabhal a threabhsair fliuch báite agus thuig sé ansin go raibh sé théis é féin a fhliuchadh le sceitheadh nó le scanradh. Chuimhnigh sé nár fhliuch sé a threabhsar cheana ó bhí sé ina phataire gasúir.

Las sé an solas. Bhraith sé fós an rap torainn a chuala sé ag ciorclú go gliogarnach timpeall ina chluasa. Ach bhí an gadhar is an cat ina gcodladh ar an teallach, rud a mhéadaigh a iontas is a amhras. Thuig sé ansin nár bhain siadsan aon chor ná casadh astu féin a dhúiseodh é. Ach dá mbuailfí ar an doras, chloisfeadh an madra cluasach an rap freisin, chaithfeadh sé, a d'admhaigh sé ina intinn. B'fhéidir gur ar mo chluasa atá sé, a dúirt sé leis féin os ard, nó sin gur tháinig seachmall seachránach éicint orm. Is é sin murar rap cabhrach de chuid an tslua sí nó na marbh a bhí ann le mé a chosaint ar thromluí. Ach ní raibh sé cinnte ainneoin sin agus chrágáil sé trasna an tí go leathchodlatach agus d'ardaigh cuirtín na fuinneoige leataobhach de bheagán. Ach ní raibh sé in ann dé a fheiceáil amuigh ach an dorchadas dubh dubhach.

Ach bhí a fhiosracht fós gan sásamh agus chuaigh sé go dtí an doras, ar fhaitíos na bhfaitíos go mbeadh éinne amuigh ansin ag glaoch air nó á thóraíocht nó in aon an-chás in uair mharbh seo na hoíche. Bhí sé ar tí an bolta uachtair a bhaint den doras nuair a thug sé faoi deara nach raibh sé boltáilte ar chor ar bith aige. D'ardaigh an laiste agus d'oscail isteach chuige. Bhreathnaigh amach. Ní fhaca tada. Thóg dhá choisméig amach taobh amuigh ar na céimeanna sa bhfionnuaire. Ach tada ní raibh sé in ann a chloisteáil, a fheiceáil, a bholú, ná a mhothú, ach amháin an dorchadas dubh a bhí pacáilte ina bhlocanna tiubha chuile áit ina thimpeall. Gan fiú corrán gealaí sa spéir ná réalt aonarach eolais amháin le beannú anuas dó.

Dhún sé an doras, á ghlasáil is á bholtáil in uachtar agus in íochtar an babhta seo. Mhúch solas na cistine. Dhreap in airde an staighre ghíoscánaigh go mall, é ag mothú fhuaire fhliuch a threabhsair níos measa méisiúla ar ardú a choiscéimeanna. Bhí cineál náire air faoina sceitheadh mar a bhíodh agus é ina ghasúr beag nuair a d'fhliuchfadh é féin, tráth a n-athraíodh a mháthair a chuid éadaigh dó go gearánach comhairleach.

Ar a Niamh Chinn Óir a smaoinigh sé agus é ag scaoileadh de a chuid éadaigh ina sheomra codlata. B'ise, chaithfeadh sé, a bhuail an rap siúil ar an doras lena dhúiseacht agus lena threorú chun a leapa. É os cionn seachtaine anois ó thug sí cuairt go deireanach air, ainneoin a spleodraí a bhí sí i ndiaidh a chuid amhrán. Fanacht uaidh mar sin gan fiú slán ná beannacht a fhágáil aige . . . Cá raibh a buíochas? Chaithfeadh sé gur bhain rud éicint di, gur stop rud éicint í, a smaoinigh sé ansin. Murar thinneas éicint a bhuail í. Murar chaith sí greadadh léi faoi dheifir. Céard a dhéanfadh sé gan a comhluadar feasta má bhí sí scuabtha léi ar ais go Londain? Ach níor chreid sé go ndéanfadh sí é sin air. Bhí cneastacht óg shoineanta éicint ag rith léi. Agus suáilceas. Cá bhfios nach óna máthair bhocht, beannacht dílis Dé léi, a thug sí na dea-thréithe úd. Chuir an smaoineamh sin dinglis ríméid trí chnámh nocht a dhroma agus é á ísliú féin isteach i log na leapa go tuirseach. Bhraith sé i bhfad níos suaimhní anois ná mar a bhraith nuair a gheit sé as a thromluí. Ba spéirbhean chneasta í, a mheabhraigh sé dó féin agus é ag dúbailt a philiúir chlúimh lachan faoina chloigeann go compordach. Thiocfadh sí ar ais. Thiocfadh. Is bheadh leithscéal maith aici. Thabharfadh sé maithiúnas di. Nó chuirfeadh sí teachtaireacht chuige ar a laghad ar bith as cibé cúinne den chruinne ina raibh sí. Bheadh an méid sin gnaíúlachta tugtha léi aici óna sinsir ar a laghad ar bith, a dúirt sé, agus shíl sé guth a cinn a fhadú is a ardú ina chluas aríst, is bhí sé ag iarraidh pictiúr a haghaidhe a athchruthú ina intinn . . . Ach ansin mhothaigh sé lionn dubh á chlúdach agus tháinig scáth air titim ina chodladh, faitíos go sciorrfadh sé isteach i dtromluí aríst, tromluí a bháfadh é, b'fhéidir, an babhta seo. Ó, a Phéarla an Bhrollaigh Bháin, cá bhfuil tú anois anocht, a scread sé amach os ard. Cá bhfuil tú uaim agus mo chroí is m'anam is m'intinn á sciúrsáil féin is á ndaoradh ag smaoineamh ort. Cibé céard a bhain díot. Agus thosaigh sé ag canadh an amhráin agus faobhar ar a ghuth, ag súil go snámhfadh na focail is na siollaí ceoil amach an doras nó suas an simléar agus nach stopfaidís ach ag eitilt leo go fáinleogach nó go dtuirlingeodh ar a cluasa mánla lena mealladh ar ais chuige roimh fháinne geal an lae:

Tá cailín deas 'om chrá
le bliain agus le lá
Is ní fhéadaim í a fháil . . .

ach stop sé ina staic ansin théis cúpla abairt nuair a chuala sé gíoscán géar a ghutha féin agus an crith garbh a bhí ina ghlór mar go

57

raibh sé cinnte gur thúisce a ruaigfeadh an straidhn a bhí ina ghuth gadhar strae ocrach óna dhoras, ná ainnir rósbhéalach a mhealladh chuige i lár na hoíche. Ná habair go bhfuilim ag cailleadh bhinneas mo ghutha freisin chomh maith léise, a chaoin sé, an t-aon seoid a d'fhág Dia agam sa saol uaigneach aonarach seo, an t-aon bhua a bhronn solas is sólás ariamh ar mo shaol. Cén chaoi a bhféadfainn fanacht beo lá amháin eile dá huireasa, agus anois is mé gan guth, ní móide go mbeidh sí do m'iarraidh. Céard a dhéanfas mé liom féin feasta . . . ?

Ansin thosaigh sé ag díriú chumhacht agus dhíograis iomlán a shamhlaíochta ar an mbean spéiriúil aríst nó go bhfaca sé í ag teacht tríd an gceo ag snámh go tréan géagach aníos cuisle na farraige go Ros Cuan Sáile chuige. Is nuair a d'ardaigh sí í féin aníos as an bhfarraige mhór le spreac a géag chonaic sé í ina Maighdean Mhara. Agus dá áille í óna básta gléigeal aníos, ba shleamhain sciorrach lannach í uaidh sin síos ionas nach raibh inti ach leathbhean. Cén fáth nach dtagann tú chugam go hiomlán i do chruth is i do chló féin, a d'fhiafraigh sé di nó cé is cionsiocair leis na bearta crua seo ar fad.

Ach níor fhreagair an Mhaighdean Mhara é ach d'oscail sí leabhairín beag fliuch a tharraing sí aníos óna brollach ar leathanach tirim gan uimhir ná teideal agus leag sí a méar – méar an fháinne – ar an bpictiúr de bhean óg a bhí ag breathnú amach ón leathanach buíbhán griandóite. Ó, do mháthair, nach in í do mháthair bhocht, a dúirt sé os ard léi, agus é ag ardú a chaipín go hómósach agus ag cur beannacht Dé lena hanam. Dhún an leabhairín uaithi féin ansin de phlap amháin i mbois bhán a láimhe. An é nach n-aithníonn tú í, a stóirín, a dúirt sé aríst. Ach má dhún an leabhairín féin bhí an pictiúr greanta greamaithe ina intinn mar a bheadh stampa greamaithe ar iarann agus nuair a chuir sé i gcomparáid é le pictiúir eile a chuimhní cinn bhí sé cinnte nach raibh difríocht ar bith eatarthu ach iad chomh cosúil sin le dhá phrionta a d'fháiscfí as an diúltán dorcha céanna.

Ó, go deimhin, a dúirt sé ansin, caithfidh sé gurbh í do sheanmháthair atá do do choinneáil uaim, atá ag iarraidh teacht eadrainn agus ní raibh ar a chumas an slabhra corrach smaointe a tharraing iad féin trína

intinn mar thraein thorannach ann a stopadh
ná a shrianadh ach iad fágtha ansin ina intinn
mar a bheadh ina rópa cruach ann cardáilte
timpeall i gciorcail. Rópa a bhí chomh crua
láidir is nárbh fhéidir é a bhriseadh ná fiú
snaidhm a chur air lena stopadh ag rolladh
timpeall, timpeall agus timpeall.

Agus ansin thosaigh an dá éadan ag
iomaíocht lena chéile os comhair a dhá shúl
mar a bheadh pictiúr ar chainéal teilifíse ann
a mbeadh pictiúr iasachta eile ag brú isteach
ar a spás aeir. Iad scaití ina meascán de
mhíreanna mearaí agus scaití eile beagnach ar
aon bhuille agus ag nóiméid mar sin is ar
éigean a d'aithníodh sé go mbíodh difríocht ar
bith eatarthu agus an dá éadan mar a bheadh
leáite isteach ina chéile.

Ach de réir a chéile ansin, agus i gcoinne a
thola, bhí an tseanmháthair á brú féin chun
tosaigh ionas gurbh í ba threise a bhí i gceartlár
an phictiúir agus ise í féin fillte ar aois na hóige
ionas gur thosaigh a háilleacht ag athoscailt go
mall na scoilte scólta a d'fhág sí ina chroí
leathchéad bliain roimhe sin.   Scoilt
leochaileach a shíl sé a chneasú, is a dhúnadh is
a dhearmad le slánú righin ciúin na mblianta

fada uaigneacha. Scoilt nach gceadódh sé dó féin dul ina gaobhar beag ná mór le blianta . . . Ach bhí sí os a chomhair anois agus a chroí bocht á chéasadh leis an scoilt a bhí athoscailte aici nó gur iompaigh a chroí féin amach os a chomhair agus chonaic sé an taobh istigh a bhí ina chriathar agus na deilgne go léir a bhí sactha isteach ann, ann fós – leathchéad acu, ceann do gach bliain agus sileachaí móra de chloigne dubha déanta ag a bhformhór.

An gá dom é seo go léir a fhulaingt aríst, a d'fhiafraigh sé, ag gearradh chomhartha na croise céasta air féin agus ag seoladh paidre chuig an áit a raibh Dia. Ach is i ndéine a chuaigh an arraing a bhí ina chroí agus ansin thosaigh arraingeacha agallta eile ag stangadh a cholainne ionas gur chuir an phian amach as a leaba é agus síos ar a dhá ghlúin den chéaduair le leathchéad bliain – ón mhaidin fhada Shathairn Chásca úd ina raibh sé fágtha ag leathghuí ag bun na haltóra ina chulaith dhubh – is ba ar a ghlúine ansin dó a tháinig lagar agus naoi néal air . . .

Nuair a dhúisigh sé den urlár ar maidin fuair sé boladh éisc ina pholláirí agus ar fud an tseomra leapa. D'oscail sé an fhuinneog

61

chun aer úr a ligean isteach agus an boladh trom a ruaigeadh. Chrágáil sé a bhealach síos an staighre ansin agus thug sé faoi deara láithreach clúdach gorm litreach brúite isteach faoin doras. Bhí a fhios aige go gcaithfeadh sé gur am éicint i lár na hoíche a sacadh isteach ann é mar nach raibh sé ansin ag dul a chodladh dó, cé gurbh aisteach leis nach ndearna an madra aireach aon gheonaíl ná tafann. Thóg sé ina lámh é agus é ar crith. Ní raibh ainm, stampa, branda ná lorg méar air. Nuair a d'iompaigh sé bunoscionn é chonaic sé nach raibh dúnadh, fáscadh ná séala air ach oiread ach an liopa cúil fillte isteach san oscailt. D'oscail sé amach é chomh sciobtha ábalta agus a lig na scoilteacha dá mhéara ionas gur stróic amach as an t-aon bhileoigín bhándearg amháin a bhí ann.

Bhí a fhios aige láithreach gur uaithi é sul má bhí an dá fhilleadh bainte as an mbileoigín aige. Rinne sé gáire beag anamúil leis féin agus gheit a chroí. Cé nach raibh ainm ná seoladh uirthi bhí a fhios aige go maith gurb í a lámh luaimneach a rug ar an bpeann a scríobh í. Faoi dheifir ba léir . . . Aiféala uirthi, a ghéill sí, ach ní fhéadfadh sí

teacht ar cuairt faoi láthair mar go raibh a
seanmháthair tinn. An-tinn. Ar leaba a báis. Is
gan aici ach í anois le haire a thabhairt di . . .

Mír V

Ní raibh seachtain caite nuair a chuala sé feadaíl lá. Lá breá a bhí ann. É an-bhrothallach. I ngarraí an tí a bhí sé ag baint fhéir lena speal. Bhioraigh sé a chluasa, dhírigh a dhroim agus sheas sé suas i lár an gharraí, a leathchos leagtha aige ar cheann de na sraitheanna úra d'fhéar glas a bhí nuabhainte. Nuair a threisigh an fheadaíl théis teannadh níos gaire dó d'aithin sé an fonn láithreach: 'Casadh an tSúgáin' a bhí ann, agus dhúisigh an t-éan codlatach a bhí neadaithe istigh ina chroí ionas gur thosaigh sé ag portaireacht leis an bhfonn meidhreach. Bhí a fhios aige go maith gurbh í a bhí chuige ach ní raibh sé cinnte cén taobh de as a n-éireodh sí – anoir, aniar, aneas, aduaidh, aníos nó anuas – nó sin amach as croí a choirp féin. Ach ní raibh aon locht aige ar an bhfanacht agus nuair a chas sé a cheann soir an tríú babhta, nach bhfaca sé ina suí ar an gcnocán a bhí ó dheas den teach í agus gúna fada tanaí síoda de ghorm éadrom na spéire á chaitheamh aici chomh maith le clóca beag corcra le himeall órga agus lása ar a raibh cnaipe amháin airgid go feiceálach in uachtar. Chuir an feisteas follasach seo beagáinín iontais air mar gur treabhsar a bhíodh á chaitheamh aici roimhe seo. Ach bhí an lá inniu te, a d'admhaigh sé, an t-aer agus an timpeallacht uile faoi theas marbhánta na gréine. Níor staon sí dá cuid feadaíola nó gur shroich sé an cnocán ar a raibh sí suite agus b'in mar ab fhearr leis é óir ba bheag nár bhraith sé óltach súgach agus a chloigeann ag éadromú leis an gceol bríomhar mealltach.

Is cén chaoi a bhfuil an mhuintir s'againne, a d'fhiafraigh sé ar bhealach neodrach, agus ag tabhairt cuireadh chun an tí di ar fhoscadh ó ghatha géagacha na gréine. Thosaigh sise ag inseacht faoina seanmháthair a bhí théis drochthaom tinnis a chur di ach a bhí ag bisiú. Tiocfaidh sí thríd an babhta seo, a d'fhógair sí ansin, ar bhealach a léirigh nár theastaigh uaithi níos mó cainte a dhéanamh fúithi agus thosaigh sí ag crónán 'Casadh an tSúgáin' di féin sa gciúnas beag a lean agus iad ag siúl taobh le taobh nó go raibh siad beirt ina suí síos os comhair a chéile istigh ar an teallach. Agus bhraith sé ansin go raibh a dreach beagán difriúil inniu ar chuma éicint . . .

Murab é an gúna gealgháireach gorm a bhí ar a cneas a bhí á dathú níos deise, é mar a bheadh ag déanamh a coirp beagáinín damhsach. Agus ní shásódh tada beo ansin í ach na hamhráin ar fad a bhí foghlamtha aici uaidh, agus cleachta go cúramach cúlráideach le seachtain aici, á rá dó as cosa i dtaca. D'éirigh a guth níos binne agus í ag cur iomlán a croí is a nirt sna hamhráin agus bhraith sé scaití go raibh sí ag cur meáchan uile a coirp taobh thiar de línte cumhachtacha faoi leith. Las a ghrua le mórtas aisti, faoi chomh paiteanta agus a thug sí léi iad agus nuair a d'iarr sí air 'An Seanduine Cam' a mhúineadh di ar an gcéad amhrán eile níor chuimhnigh sé faoi dhó nó faoi thrí air féin ionas go mba ghearr le beirt dhéagóirí iad leis an spraoi agus an spórt agus an solamar a bhí siad ag baint as na línte. Más iad na seandaoine atá uait inniu, a d'fhógair sé ansin de racht, caithfidh tú 'An Seanduine Dóite' a thabhairt leat freisin agus stop, stad ná staon' ní dhearna ceachtar acu ach ag rá agus ag athrá na línte agus iad ag baint sú, splancanna is lasrachaí nár bheag as na línte gáirsiúla . . . D'fhiafraigh sise ansin de, agus í idir shúgradh agus dáiríre, dar leis, cén aois ina stopann sé ag éirí ag seanduine. Mheas sé ar feadh soicind gur le guth a seanmháthar a labhair sí. Agus gan é cinnte an á phriocadh a bhí sí, nó de bharr óinsiúlacht na hóige, dúirt sé léi gan frapa gan taca nárbh aon saineolaí é féin ar na cúrsaí sin, a bhuí le Dia agus gurbh in ceist do dhuine éicint níos sine, níos críonna agus níos cráite ná é féin.

Agus sul má thuig sé cá raibh sé bhí an bheirt acu i ngreim barróige go docht ina chéile is iad ag damhsa timpeall agus timpeall nó gur tháinig meabhrán orthu is gur thiteadar. Is nuair a tháinig siad chucu féin aríst óna rachtanna fiáine gáire thug siad léim amháin ina seasamh, an dara léim go lár an urláir is an tríú léim go bun an staighre nó go raibh cos thíos agus cos thuas acu ar na céimeanna íochtaracha. Sheasadar go corrach ansin ag tacú lena chéile staidéar beag a dhéanamh. Eisean ag dearcadh go támáilte isteach ina súile aibí ar dtús agus ansin ag stánadh siar isteach níos doimhne iontu. Stán sise amach ar ais air isteach ina shúile féin. Scaití chaochadh seisean a shúile le linn dó a bheith ag stánadh agus é ag déanamh amach go raibh dhá phéire súl inti, an dá phéire acu ag baint barr dá chéile le doimhneacht dhiamhrach. Ansin chuir sise a lámh síos go tobann air ag preabadh a mhachnaimh. Rug sí leis an lámh eile air agus threoraigh é chuig a brollach ionas gur rug sé ar chíoch uirthi. D'fháisc. Bhuail aiféal de phlimp é nuair a cheap sé go mb'fhéidir gur chóir dó náire a bheith air ach nuair a thriail sé a lámh a tharraingt siar theip air í a bhogadh mar go raibh greamaithe go daingean dá cíoch. An bhféadfadh sé seo a bheith fíor, a smaoinigh sé os ard nó an anseo nó i nGleann Bolcáin na ngealt is na gceithre bhearna atáim. Shisst! Nach dtuigeann tú fós go bhfuil tú faoi gheasa agus faoi dhraíocht agam, a chan sí. Níl éalú uaim. Níl de rogha agat ach a bheith greamaithe díom go mbogfaidh mise mo mhothúchán díot. Mise, a dúirt sé, is a bhfuil d'óglaigh fhearúla fhíormhaiseacha bhíogacha sa saol . . . Dá gcuirfí a bhfuil d'fhir óga uile sa saol isteach in aon phearsa amháin dom, b'fhearr liom fós thú ná iad is mé mar atá mé faoi dhraíocht is faoi dheachma agat is thionlaic sí suas an staighre faoina hascaill é go corrach is gach re cos thíos thuas acu. Rug sí ar uillinn ansin air agus threoraigh ar nós daill isteach sa seomra leapa é, amhail is dá mba eisean an cuairteoir agus dá mba ise an tíosach. Agus thug an freastal, an t-ómós agus an leagan amach seo fíorshásamh dó. Shuigh siad taobh le taobh ar an leaba ansin. Scaoil sí cnaipe uachtarach a clóca corcra agus d'fhlipeáil siar thar a guaillí lena leathlámh é, á scaradh amach ar an leaba san am céanna ionas gur mhéadaigh an clóca is gur chlúdaigh an leaba iomlán ó phosta go piléar. Chiceáil sí di a bróga le cabhair a sála ionas nach raibh orlach fúithi. Sheas suas díreach agus lig den ghúna síoda scaoilte gorm sciorradh anuas di d'aon chuimilt amháin dá corp, amhail is dá mbeadh meáchan luaidhe ina íochtar a tharraingeodh síos di é uaidh féin chomh luath agus a bhí an chuing lása a bhí os cionn a brollaí scaoilte.

Theann sí a chloigeann rocach isteach lena brollach bog mín nó gur bhraith sé úire a cíoch ag cruachan lena leiceann, ise ag sní a méar trína chúl liath gruaige san am céanna. Thosaigh sé á mothú lena liopaí agus ag líochán fáinní fliucha ina dtimpeall agus ansin á ndiúl is a shúile dúnta aige mar a bheadh leanbh sásta ann ar bhrollach a mháthar. Agus é ag únfairt ó cheann go ceann acu bhraith sé mar a thosóidís ag rince uathu féin agus iad ag damhsa cor beirte os a chomhair amach agus mhothaigh sé meabhrán gliondrach ag líonadh a chloiginn amhail is dá mba é féin a bheadh ag damhsa agus ag dul timpeall agus timpeall agus timpeall ina ré roithleagán . . .

D'ardaigh sí amach óna brollach go réidh ansin é gan sea ná ní hea eile a rá, ach í ag cur a dhá lámh gheala faoina ascaillí ionas gur shín siar ar fhleasc a dhroma é ar an leaba dhúbailte chóirithe. Bhí sé ag breathnú suas uirthi le dhá shúil mhóra bheannaithe mhangacha amhail is dá mba ór buí ón saol eile nó ó Thír na nÓg a bheadh aige inti agus ag samhlú ina intinn féin gur bhreá an leath leapa í. Ansin le slíocadh amháin dá lámh sise thosaigh a chuid éadaigh ag tréigean is ag titim de ball ar bhall nó go raibh sé mar a chonaic dia, diabhal is duine é an nóiméad ar rugadh é.

Tá a fhios agat nach mbíonn aon phócaí dúnta ar chorp nocht, a dúirt sí, i gcogar te tais isteach ina chluais, ná ceap gur féidir leat do chuid arm a chur i bhfolach ormsa ná ar

73

mo dhá shúil déag. Níor oscail sé a bhéal ach ba mhil ar a chluasa gach focal dár chuala sé uaithi. Agus d'ardaigh sí chuici a mhaide leochaileach milis a bhí ag breathnú suas uirthi lena leathshúil ionas gur thug leathchuimilt bheag lena teanga dó mar a chuimleodh sciathán féileacáin de do bhois. Agus ansin ligh sí léi go ceanúil sul má thóg ina béal grámhar go hiomlán é amhail is dá mba léi féin amháin é ó thús an tsaoil is nach raibh ag dul á roinnt . . .

Agus d'fhan sé sínte siar fúithi ansin agus speabhraídí gliondair ag dul ina maidhmeanna trína chorp mar a bheadh tonnta feasa ann ag scaradh brat ollmhór suaimhnis anuas air nó gur bhraith sé baill iomlána a choirp ag athaontú agus ag tarraingt lena chéile ar aon nóta amháin mar a bheadh ceolfhoireann mhór dhraíochtúil ann. Agus é ag breathnú suas uirthi mhothaigh sé brí agus spreac ag at ina chorp nó go raibh sé ina fhear óg aríst agus é chomh luath láidir cumasach le Caol an Iarainn an lá ab fhearr a bhí sé agus sul má bhí deis aici leide eile a thabhairt dó d'éirigh sé aniar chuici ionas gur lig dise sciorradh isteach faoi go fionn fonnmhar agus a dhá lámh ar a brollach.

74

Aon phóigín amháin eile agus é a fháil le do thoil agus do bheannacht dhílis féin, a dúirt sé, agus d'fhéach sé isteach ina súile le linn dó a bheith á pógadh. Ach an babhta seo ba í an tseanmháthair agus í ina bruinneall óg a chonaic sé ag breathnú amach air agus spor sé sin tuilleadh chun gnímh gaisce é . . . Is bhí sí corraithe chuige agus ag fanacht go cíocrach leis faoin am a ndeachaigh sé ina thruslóga ocracha amplacha isteach, amach, is isteach is isteach inti . . .

Nuair a bhogfaidh mise, bogfaidh tusa,
agus bogfaimid le chéile
a spréigh sí de ghlór ard cantaireachta . . .

Dhún sé a shúile chun iomlán a blais is na mothúcháin uile a fhágáil ag an gcuid istigh dá chorp le blaiseadh is le sú isteach agus i ndorchadas a intinne chonaic sé réaltaí neimhe ag spochadh sa spéir agus phléasc sé réaltaí fliucha na cruinne istigh inti idir a luas análacha troma . . .

Mír VI

Agus ar feadh trí lá agus trí oíche ina dhiaidh sin níor oscail sé fuinneoga ná doirse a thí ach choinnigh sáinnithe istigh sa teach é féin chun go bhféadfadh sé an sú ab fhearr agus ab fhéidir a bhaint as a raibh fágtha aici di féin dó.

Ar an gcéad lá bhí meidhre meisce air féin is ar an teach agus ar bhaill troscáin uile an tí a bhféachadh sé orthu. Bhí an bord ag luascadh ar a cheithre chos. Bhí na cathaoireacha ina suí i ngabháil a chéile mar a bheidís théis titim i ngrá agus choinnigh seantlú iarainn na spreangaidí fada fóid mhóna ar an tine as a stuaim féin. Thuas an staighre bhí an leaba ag míogarnach go sonasach agus an dá bhraillín bhána ag flipeáil is ag flaipeáil lena chéile go spórtúil amhail is dá mbeadh crochta amuigh go hard ar líne lá gaoithe.

Agus chaith sé an lá iomlán ina shuí sa gcathaoir luascach shúgáin mar ba nós leis nuair a bhíodh ag ligean a scíthe agus é fós faoi speabhraídí draíochta. Bholaigh sé a boladh bándearg milis a bhí ar foluain ar fud an tí os a chomhair mar a bheadh féileacán daite damhsach samhraidh ann. Chuala sé macalla gorm a gutha is a gáire i bpóirsí is i gcúinní uile a thí amhail spleodar leanaí óga a bheadh ag dul ar thuras scoile. Chonaic sé a híomhá gheal mar scáile áthasach i gcúlra na bpictiúr beannaithe a bhí crochta ar na ballaí. Bhí sé in ann blas dearg a coirp a fháil ar a bheola féin gach uair a ligh sé iad agus a teas bog tais i mbraillíní na leapa nuair a chuimil sé a lámha agus a chneas díobh agus é ag dul a luí. Agus chreid sé go mbeadh sé in ann na cumhachtaí sin uile a ghabháil is a choinneáil úr lena láidriú agus lena chothú chomh fada agus a bheadh na doirse is na fuinneoga dúnta glasáilte aige . . .

Ach ar maidin an dara lá mhothaigh sé maolú beag tagtha ar a chéadfaí agus ní raibh ina chumas a spiorad ná a beocht a bhlaiseadh chomh soiléir sin. Ní hé nach raibh siad ann fós ina thimpeall ach thosaigh siad ag leá isteach ina chéile beagán ar bheagán ionas go raibh a gcuid dathanna ag maolú is ag tréigean faoi cheo de réir a chéile. Cheap sé ar dtús gur tuirse nó easpa codlata a bhí air a mhaolaigh a bheocht bhíogúil agus go bhfillfeadh a ghéire aríst théis cúpla néal codlata. Ach faoi mheán lae níor mhothaigh sé aon athrú chun feabhais tagtha agus faoi thráthnóna bhí na dathanna daite go léir leáite isteach trína chéile ina smeadar salach agus iad iompaithe ina ndath gruama gránna liath geimhriúil agus nuair a chuimil sé na sramaí as a shúile chonaic sé go raibh baill troscáin an tí uile iompaithe liath, ní liath go liath lag gránna a chuir déistin is tinneas cinn air.

Ar an tríú lá tar éis droch-chodlata mí-shuaimhnigh corrach d'éirigh sé aniar mar go mba fhulaingt dó fanacht sínte siar sa leaba níos faide mar le gach cor agus iompú dá gcuirfeadh sé de mhothaigh sé deilgíní faoi á phriocadh is ag géarú air istigh ina chraiceann. Agus is i dtreis a chuaigh an phian a bhí air nó gur sháraigh pianta mná seolta. Leag sé a lámha anuas ar a bholg ansin agus baineadh geit as amhail is dá mbeadh sé théis taibhse duine mhairbh a fheiceáil ag siúl ar uisce. Is bhí baithis a chloiginn á scoilteadh le tinneas cinn amhail is dá mbeadh an diabhal is bean a mhic in adharca a chéile agus é ina chomhrac corrach sciorrach síoraí eatarthu taobh istigh dá bhlaosc. Bhí sé ag guairdeall ó phosta go piléar agus é ag cinnt air fanacht socair agus gan snáthaid ná biorán suain aige a thabharfadh faoiseamh dó. Bhraith sé a chuid ball éadaigh mar a bheadh méadaithe ina málaí timpeall air leis an méid meáchain a bhí caillte aige. Bhí a ghuaillí is a cheathrúna caolaithe go mór agus a éadan seang tréigthe. Chaith sé an lá ag útamáil agus ag guairdeall ar fud an tí go fuasaoideach. Ghéill sé faoi dheireadh agus d'oscail doirse agus fuinneoga an tí den chéaduair le trí lá ach níor bhronn an t-aer úr aon sólás breise air ach is amhlaidh a chuir drionga géara fuachta ag spealadóireacht aníos trína chnámh droma.

Chrágáil a chorp feosaí searbh a bhealach suas céimeanna troma an staighre agus nuair a shín sé siar ar an leaba ar thóir sóláis thosaigh sí ag croitheadh agus ag gíoscán faoi go déistineach amhail is dá mbeadh ola ag teastáil óna cuid siúntaí nó dá mbeadh a cuid spriongaí ina dtráithníní briosca tirime agus réidh le snapadh nóiméad ar bith.

Aon phóigín amháin, a chaoin sé ó íochtar a chroí aníos. Aon phóigín amháin uaitse, an t-aon leigheas atá ann dom agus leis an bpian thosaigh sé ag cnagadh bhaithis a chinn i gcoinne ráillí crua na leapa amhail gasúir mhire. Ach níor tháinig sí féin ná a cosúlacht chuige lena bhréagadh ná a beola lena phógadh ná a géaga lena fháscadh go huchtúil sólásach. Is nuair nach raibh sé in ann na daighreacha a fhulaingt níos faide chrágáil sé trasna an tseomra gur thóg anuas de bharr an chófra mála síoda ar a raibh ornáidíocht de bhláthanna fiáine is d'fhéileacáin dhaite. D'oscail sé é gur thóg amach as an dá bhraillín a bhí bán tráth ach a raibh dath buí fágtha anois orthu ag imeacht na mblianta agus chuir lena bhaithis iad mar mhaolú fuaire ar an tinneas cinn damanta ionas gur bhraith sé faoiseamh beag ón bpian. Scar sé amach na braillíní idir cheithre phosta na leapa ansin mar ba nós leis a dhéanamh dhá oíche gach bliain – ar chothrom a lae bhreithe agus cothrom lae a báis. Agus é ar tí titim as a sheasamh le lagar sméid sé ar na ceithre aingeal a bhí ar foluain ar phostaí a leapa á fhaire is á ghardáil, agus d'ardaíodar leo lena gcuid sciathán go héadrom é ionas gur shleamhnaigh isteach idir an dá bhraillín é go sócúil agus d'fhan an ceathrar acu ag damhsa chor na sióg san aer os a chionn nó go raibh sé ina shámhchodladh is gur shéid a shrannfach chaithréimeach chun bealaigh iad.

Agus ina bhrionglóid dó dhúisigh sé agus chas ar a thaobh sa leaba agus shleamhnaigh a lámh isteach fúithi agus síos i dtrunc mór dubh a bhí faoi chloigeann na leapa aige. Agus chart sé timpeall lena leathlámh thíos ann nó gur aimsigh a mhéara boiscín beag cearnógach taisce agus d'ardaigh aníos é agus é i ngreim sa hanla. Shac a lámh isteach faoin bpiliúr gur tharraing amach eochairín bheag órga a raibh dhá ghob uirthi agus bhain an glas den taisceadán den chéaduair leis an tsíoraíocht. D'oscail an bosca amach uaidh féin ansin agus chonaic sé a pictiúr agus í chomh hálainn agus a bhí ariamh, chomh hálainn sin agus nach raibh stró ar bith air an pictiúr dubh agus bán a fheiceáil ag scaladh sa dorchadas. D'fháisc sé isteach go dlúth lena ucht é.

Agus caite ansin in íochtar an bhosca chonaic sé an píosa airgid a bhí sé chun a bhronnadh uirthi an lá úd agus an loinnir imithe as. Ansin d'oscail sé cása beag cruinn eile agus thóg amach máilín beag bán síoda agus dhoirt dhá fháinne a bhí ar dhath an óir bhuí amach as ar bhois a láimhe agus bhí an diamant a bhí ina fáinne sise ag glioscarnach fós. Chuir sé air a fháinne féin gan dua ná deacracht agus d'fheil dó chomh maith agus dá mba inné nó ar maidin a cheannaigh sé ón seodóir é. Rug sé ansin ar a fáinne sise nár cuireadh ar a méar ariamh agus ghrinn go grinn é, á chiorclú timpeall go mall idir a mhéara. Bhí an t-ór fós ag lonrú agus an diamant ag spreagadh is ag scaladh. Ag sioscadh, beagnach. D'fháisc sé isteach lena chroí ar dtús é ach ansin nuair a chuir sé lena bhéal é lena phógadh nár dhúisigh fuaire an diamaint ar a liopaí é, de gheit scanrúil . . .

Is nuair a d'fhill sí air ansin bhraith sé go raibh claochlú éicint tagtha uirthi nár shoiléirigh a shúile dó roimhe seo. Ní hé go raibh aon nóta dá háilleacht ná dá spleodar caillte aici ach bhraith sé mar a bheadh scáile éadrom leagtha anuas ar leath a haghaidhe agus mar a bheadh an leath eile tagtha in inmhe nó dulta in aois.

Bás a seanmháthar a bhí faoi seo ag iompar cré is cloch a choinnigh uaidh í le dornán laethanta, a dúirt sí, ag gabháil a leithscéil. D'admhaigh sé gur thuig sé sin. Ach bhí sí chomh saor le feoirling anois, a dúirt sí, agus thuig sé ar an gcaoi ar thug sí aer do na focail go mb'fhéidir go bhféadfaí a laethanta i gConamara a áireamh feasta ar aon chraoibhín amháin. Bhuail tocht é agus d'fháisc sé chuige í agus is beag nár chuir an teas mór a bhí inti lagar air, agus d'fhiafraigh sé di an raibh aon amhrán nua a theastaigh uaithi a fhoghlaim agus nuair a dúirt sí nach raibh 'Amhrán an Tae' fós aici thosaigh sé air agus lean siad orthu láithreach bonn nó go raibh chuile fhocal is siolla de ghlanmheabhair aici. Ansin chanadar araon é mar agallamh beirte is iad ag mealladh na véarsaí óna chéile is iad i ngreim láimhe ina chéile, ag *wind*eáil a chéile go hanamúil nó gur thosaigh ag déanamh rince beirte leis an amhrán is lena chéile ar an mbord i lár urlár na cistine, ansin ar chéimeanna an staighre agus nuair a shroich siad an seomra leapa mhéadaigh a súile láithreach ina dhá scáthán sciathánacha nuair a thug sí faoi deara na braillíní síoda ar an leaba. A Rógaire Dubh, a scread sí, is tú atá agam ann agus d'fhiafraigh de cá raibh siad aige go dtí seo. I dtaisce, a dúirt sé. I dtaisce agus d'aithin sé go maith gur thaitin siad léi amhail is dá mbeadh sí théis a craiceann is a cnámha a shíneadh eatarthu cheana agus d'fháisc siad isteach lena chéile aríst agus chaith tamaillín ar foluain i gciorcal os cionn na leapa sul má chrap na cuilteanna bréatha breaca agus ansin an bhraillín uachtair siar iad féin dóibh ionas gur shín siad isteach fúithi, a dhá chos in airde aige is an bheirt acu sínte trína chéile mar aon duine amháin.

Agus ina gcomhriachtain ghlórmhar a lean bhíodh seisean thuas seal thíos seal agus ise thíos seal thuas seal, iad araon ar mhuin na muice céanna agus iad cinnte dearfa gurb é rotha mór gan stiúir an tsaoil a chas i mbealach is trasna ar a chéile iad ar an ardnóiméad sin agus réab is speir siad leo gan acht, gan reacht gan riail nó go raibh an bhraillín íochtair in uachtar is an bhraillín uachtair in íochtar. Le linn an nasctha ansin stán siad isteach i súile scáthánacha a chéile chomh tréan cumhachtach sin gur éalaigh siad beirt in aon spiorad aontaithe amháin óna gcoirp . . . coirp a bhí fágtha ina ndiaidh acu, ag aclú leo ansin uathu féin ionas go raibh siad in ann iad féin a fheiceáil fúthu ó shíleáil an tseomra mar a raibh an spiorad ar foluain go héadrom gealgháireach. Chonaic agus mhothaigh siad na braillíní síoda ag taiseadh agus ag fliuchadh leis na deora allais a bhí a gcoirp ag fáscadh go fileata as a chéile thíos fúthu.

* * *

Ach scaití thugadh sise faoi deara go dtagadh corrstad ina shúile le linn a gcaidrimh amhail duine a mbeadh stad ina chuid cainte. Cheap sí ar dtús gurbh é an aois a bhí ag breith air agus gur ag tarraingt a anála a bhíodh sé ach nuair a thum sí í féin níos doimhne isteach ina intinn bhraith sí gur ag breathnú ar íomhá dá seanmháthair a bhíodh sé agus á santú agus gur dise na féachaintí beaga stadacha sin agus chuir an léamh sin áthas breise uirthi mar gur chreid sí chomh fada agus a bhain leisean go raibh an meascán seacht n-uaire ní b'fhearr agus nach gcuirfeadh aon teorainn lena bhís, lena chumas is lena shástacht. Agus mhothaigh sí gach orlach de agus dá chroí istigh inti, mar a bheadh abhainn ann a bheadh ag rith le fána agus a líonfadh chomh hard sin le tuillte go mbeadh ar tí a bruacha cré a phléascadh . . .

Leath ciúnas eatarthu ansin. Ciúnas, ciúnas, ciúnas iomlán fliuch fad a bhí an spiorad ag sileadh anuas is ag athfhilleadh is á roinnt féin ina dhá leath agus á n-adhlacadh féin i gcré a gcuid corp. Ciúnas a scread amach na mílte focal tostach i dteanga rúndiamhrach glórach an tsuain. Agus thuig sise go raibh a fhios aigesean go raibh a shíol théis léimeanna sonais a thógáil mar a dhéanfadh bradán feasa in aghaidh gach sruth cumhrach chuig a dhúchas. Agus go raibh an nádúr á cheiliúradh féin istigh ina lár is ina croí.

* * *

Ansin scaip a gcuid análacha tugtha an ciúnas go mall nádúrtha agus labhair sí. Inis dom faoi mo mháthair, más maith leat, a dúirt sí, agus faoi m'athair má tá aon eolas agat faoi fad a bheas muid ag ligean ár scíthe. Do thaobhsa den scéal. Do thaobhsa amháin. Ní á inseacht duit ach á chanadh duitse a bheas

89

mé feasta, a d'fhreagair sé, mar go bhfuil an focal canta seacht n-uaire ar a laghad níos saibhre agus níos naofa ná an focal ráite is scríofa. Agus thosaigh sé air go lag agus gan an ceathrú cuid de neart mná seolta fágtha ann . . .

Ó, nach bhfuil aon fhaitíos ná imní ort, a fhir mhóir an mhisnigh is na laochmhaireachta agus tú in achrann daingean na mblianta, a d'fhiafraigh sí nuair a thosaigh a ghlór ag tréigean. Níl ná é, a chailín bhig an ghrá, is na gcleas, is na dtomhaiseanna, is na ngeasa a d'fhreagair sé de ghuth tréithlag mar nach bhfuil romhainn uile ach ceithre fhód nach seachnaítear go brách na breithe: fód gine, fód breithe, fód báis agus fód adhlacan. Agus fáiltímis rompu.

Agus bhí a lámha ar a bhrollach aici, í ag braistint buillí moillithe a chroí amhail is dá mba nótaí ceoil sí a bheadh iontu agus luas a buillí croí féin ag méadú dá réir san am céanna . . .

Thosaigh a súile ag at le deora bróin ansin nó gur chuir siad thar maoil agus gur phléasc amach ag titim isteach i súile eisean áit ar iompaigh siad ina ndeora áthais láithreach chomh luath agus a theagmhaigh leis. Agus chuir sin áthas uirthise freisin ansin amhail is dá dtuigfí di gurbh iad na deora goirte a bhain a seanmháthair as a bhí athghafa aige agus iompaithe ina ndeora áthais ar deireadh thiar thall.

Agus chrom sí síos á phógadh ar chaon leiceann ag cur a liopaí lena bhéal de réir a chéile ionas gur thug an phóg dheireanach dó agus í ag sú chuici a leathanáil mhilis dheiridh amach, isteach ina corp féin, á lánú is á hiomlánú, is mar bheocht bheatha don ngin a mhothaigh sí ag múscailt ina clí istigh . . .